P9-CFP-169

La colección LEER EN ESPAÑOL ha sido concebida y diseñada por el Departamento de Idiomas de la Editorial Santillana, S. A.
La sombra de un fotógrafo es una obra original de **Rosana Acquaroni** para el Nivel 1 de esta colección.

Ilustración de la portada: **Fátima García**

Ilustraciones interiores: Archivo fotográfico Santillana

Coordinación editorial: **Silvia Courtier**

Elfo, 32. 28027 Madrid
PRINTED IN SPAIN
Impreso en España por UNIGRAF
Avda. Cámara de la Industria, 38
Móstoles, Madrid
ISBN: 84-294-3435-6
Depósito legal:M-12579-1996

LA SOMBRA DE UN FOTÓGRAFO

ROSANA ACQUARONI

Colección

LEER EN ESPAÑOL

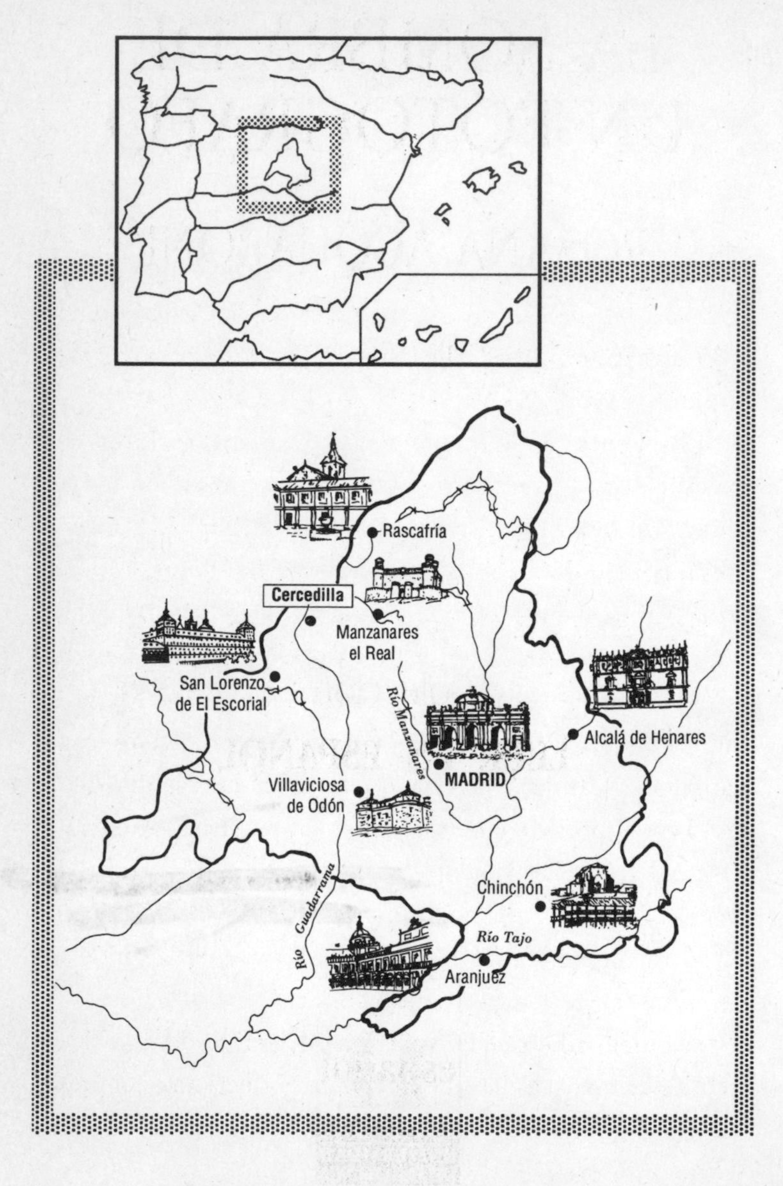
Rascafría
Cercedilla
Manzanares
el Real
San Lorenzo
de El Escorial
Río Manzanares
Alcalá de Henares
MADRID
Villaviciosa
de Odón
Río Guadarrama
Chinchón
Río Tajo
Aranjuez

I

SON las tres de la tarde de un día de invierno. No hay nadie en las calles. Sólo silencio[1]. Es la hora de comer y todo está tranquilo. Calles sin coches, plazas sin gente, jardines sin niños.

El sol entra en la habitación de Guillermo y juega con los espejos[2], se pasea entre los libros, se pierde en las paredes. Estamos en diciembre, un mes blanco. Sobre la mesa, debajo de las sillas, en el suelo, hay fotos, muchas fotos. En la cocina todavía están los periódicos de ayer y también vasos sin lavar, pan del desayuno, un poco de café. Dentro de la casa hace calor. Es un piso alto y tranquilo. Encima de su cama Guillermo ha dejado ropa: pantalones, camisas, una chaqueta. Toda la casa está llena de libros: libros de cine, de viajes sobre África, Australia, China, París... Pero casi todos son libros de fotografía. La cámara de fotos[3] está ya preparada y mira hacia la calle. Es la mejor amiga de Guillermo. Va con él a todos los sitios.

Alguien sube por las escaleras. El ruido de una llave: es Guillermo. Abre la puerta, entra, y deja unos paquetes encima de la mesa. Parece cansado. Tiene demasiado trabajo con esas fotos. Abre la ventana. Todavía es pronto para empezar a trabajar. No hay nadie en la calle. Tranquila, la cámara espera. El momento mejor es por la tarde. A esa hora la gente sale a pasear por el barrio[4] y la ciudad empieza a vivir delante de los ojos de Guillermo. Pasa horas y horas delante de la ventana, siempre con su vieja cámara preparada. Siempre desde su ventana. Ése es su lugar de trabajo en estos últimos meses.

Estas Navidades no va a tener vacaciones. Ya lo sabe. No va a poder ir a Cercedilla. En este pequeño pueblo, a cincuenta y seis kilómetros de Madrid, Guillermo tiene su casa de campo. Allí pasan María y él las vacaciones. Pero este año tiene mucho trabajo aquí, en su casa de Madrid.

Guillermo tiene hambre y va a la cocina. Pero sólo hay fruta y un poco de queso. El pan es de ayer y está como una piedra. Mañana tiene que comprar un poco de comida. Hoy va a tomarse el queso y un buen café. No quiere salir otra vez. Le gusta el silencio de su casa, el silencio de su cámara.

El ruido del café rompe el silencio. Guillermo vuelve a la ventana con el café en la mano. Esta tarde va a poder trabajar. Hoy no llueve como ayer. Guillermo vive en un barrio gris. Un barrio difícil en el centro de la ciudad. Pero él lo ve diferente. Sí, en la cámara de un fotógrafo la calle, los pájaros y la gente parecen otros, son otros.

II

ANTES de empezar a trabajar, Guillermo pone un poco de música. Charlie Parker. Ya está. Todo está bien. ¡Esta tarde pueden ocurrir muchas cosas en esa calle! Ahora son las cuatro. Ya está sentada en la calle la vieja mujer de pelo blanco, como todas las tardes. Vende periódicos y cigarrillos. Tiene las manos muy rojas. Tiene frío pero sonríe. (Foto) Lleva muchos vestidos, uno encima de otro. Por eso parece muy gorda. Está sentada en una silla medio rota bajo ese sol de invierno casi gris. Algunos pájaros se acercan a ella y suben hasta su vestido. Buscan un poco de pan y un poco de calor. (Foto) La mujer de los pájaros. (Clic) La mujer de los vestidos de colores. (Clic, Clic) Nueva Orleans. Aquellos años. Música de la calle. Blues.

«Charlie Parker, eres el mejor.»

Guillermo fuma tranquilo y espera. La cámara es mucho más que una ventana abierta. Es una llave, una llave para abrir nuevas puertas, puertas que abren otras puertas...

Una mujer sale del portal. Guillermo la conoce. Es la mujer de la larga chaqueta de leopardo[5]. (Clic) Entra en una tienda. La cámara la pierde.

La calle es ahora una fiesta para los ojos. En una esquina, la cámara ve a dos mujeres indias, con largos vestidos blancos, muy bonitos. ¡Qué raro por aquí! Una suerte. En la calle de la izquierda pone: PROHIBIDO PASAR. (Clic) En la otra calle, dos viejas del barrio miran a las mujeres de blanco. (Foto) Empieza a llover. Guillermo ve cómo la gente corre hacia los portales oscuros[6]. Otras personas llevan paraguas y no se paran. Guillermo hace las últimas fotos antes de cerrar la ventana. Llueve sin parar...

La música lleva a Guillermo a otros países, a otras ciudades, lejos, muy lejos. París, Nueva York, África... No puede olvidar todos esos sitios. Las casas grises del Boulevard Saint Germain, sus pequeños cafés, las largas noches en Greenwich Village, el silencio y la luz[7] blanca del Sáhara...

Sí, sobre todo África y su gente. Guillermo conoce muy bien África, de norte a sur. Ha estado con esos hombres preparados para vivir en medio del Sáhara, sin tierra para trabajar y sin agua. Esos hombres saben esperar la lluvia, buscar comida en lugares imposibles. Conocen la sed y el hambre. Pero no saben qué son los espejos. Les dan miedo[8]. También tienen miedo de su sombra y de la cámara de Guillermo. Él siempre les hace muchas fotos. Pero ellos nunca las quieren ver. Guillermo les pregunta por qué tienen ese miedo y ellos siempre le contestan: «Tú

Empieza a llover. Guillermo hace las últimas fotos antes de cerrar la ventana. Llueve sin parar...

eres nuestro amigo, pero con tus fotos te llevas nuestro espíritu[9]. Y eso no está bien. Debes tener cuidado. Es muy peligroso robar[10] el espíritu de un hombre».

Guillermo sonríe. Cierra los ojos. No puede olvidar a aquellos hombres. Duermen sobre la tierra, no saben leer, no conocen la televisión y tienen miedo de su sombra y de las fotos. Son diferentes, y por eso el hombre blanco no los entiende. Pero Guillermo sí los entiende y los quiere. En un lugar oscuro de su casa están todas las fotos de aquellos años. Siempre dice que va a buscarlas para verlas otra vez... pero nunca encuentra tiempo para hacerlo.

En ese momento, Guillermo oye algo raro. Algo pasa allí abajo, en la calle. Un policía corre detrás de dos hombres. Uno es alto, de pelo negro, de cuarenta años más o menos. El otro es más delgado pero también moreno. Tiene la camisa rota. Ahora Guillermo no puede verlos bien. Pone una nueva película dentro de su cámara y lo prepara todo. Rápido. No hay tiempo. Ya está. (Clic) El policía se lleva a los dos hombres hasta un coche. (Clic)

Se van todos pero Guillermo tiene las fotos. Un buen trabajo. Él ha sido rápido y la cámara siempre encuentra el momento interesante. Guillermo puede vender las fotos a un periódico de Madrid.

En la calle llueve cada vez más. La música de jazz es como un adiós en medio de una ciudad gris.

Ahora suena el teléfono. Guillermo baja un poco la música.

–¿Sí, quién es?

–Guillermo, soy yo, María. Te oigo muy mal...

–María, ¿dónde estás?

–Todavía estoy en Lugo.

–Pero, ¿no vuelves hoy?

–No, no, a esta hora no hay trenes para Madrid. Vuelvo mañana por la mañana. Salgo en el tren de las once, desde Santiago de Compostela. Voy a llegar a Madrid por la tarde. ¿Qué tal el trabajo? ¿Todo bien?

–Sí, muy bien. Mucho trabajo.

–¿Qué tiempo hace en Madrid?

–Bastante malo. Llueve mucho. ¿Y en Lugo?

–También llueve, y en el hotel todos estamos muertos de frío. Ya sabes, siempre es así en estos viejos hoteles del centro... Guillermo, ¿vas a estar en casa mañana por la tarde?

–Sí, sí, seguro. Todavía tengo mucho trabajo. Prefiero esperarte en casa. Sólo quiero salir un momento por la mañana, para comprar. No tenemos nada para comer.

–De acuerdo. Bueno, Guillermo, no puedo hablar más. Me esperan abajo. Hasta mañana.

–Adiós, María. Hasta mañana.

Son más de las seis. Guillermo empieza a tener hambre otra vez. Va a la cocina. Naranjas, sólo hay naranjas y un poco de pan. Guillermo se pasa todo el día con sus fotos y siempre olvida cosas como comprar, comer, dormir... Es difícil vivir con un hombre como él. Guillermo lo sabe. Por eso quiere así a María. Los fotógrafos no son como las otras personas y ella lo entiende. Para ellos no hay nada tan importante como hacer fotos. El tiempo pasa sólo dentro de la cámara. Guillermo vuelve a la ventana. El agua lava las negras paredes de enfrente. Una ciudad de espejos. La cámara juega con sus luces y sus sombras.

(Clic) En medio de la calle hay un hombre. La lluvia, por fin, ha parado. La cámara abre su ojo de luz. El hombre pasea en silencio. La cámara puede ver ese silencio. Pero... el hombre... No, es imposible. Con las primeras sombras de la noche parece... ¡Es! ¡Es Guillermo! No puede ser verdad. Guillermo está detrás de la cámara, ¿y también en la calle? Pero, ¿quién está allí abajo?

Guillermo no puede creerlo. Todo esto le ocurre por comer mal y por dormir poco. Deja la cámara y mira por la ventana. En la calle no hay nadie. Un coche blanco pasa muy rápido. Guillermo mira otra vez por la cámara. Allí está. Es él otra vez. El hombre sigue allí, de pie, con una chaqueta marrón y un pantalón verde oscuro. Pero Guillermo sólo puede verlo allí, dentro de su cámara.

III

GUILLERMO está muy nervioso. La casa le parece otra. Quiere olvidar estos últimos diez minutos, pero no puede. Se pasea por las habitaciones sin saber qué está buscando. Mira su cámara desde lejos. Parece preguntarle con los ojos. No entiende qué está pasando. Por primera vez en quince años su cámara y él no están de acuerdo. Y María, ¿dónde está María en estos momentos? ¿Por qué está lejos de él? Mira el reloj. Las siete y media. Debe llamarla. Tiene que hablar de esto con ella. No sabe dónde tiene el número del teléfono del hotel. Va a la habitación. Busca encima de la televisión. No está. En la mesa de la cocina, debajo de la cama. ¿Dónde puede estar? Mira en el cuarto de baño. Nada. Por fin lo encuentra. Está en el lugar de siempre: encima de la mesa, cerca del teléfono. Delante de sus ojos.

–Hotel España, ¿dígame?

–Por favor, quiero hablar con la habitación 123.

–Un momento, señor.

Guillermo está muy cansado. Cierra los ojos y espera con el teléfono en la mano. El tiempo no pasa. Guillermo tiene frío. No puede olvidar al otro Guillermo. La cámara parece jugar con él y eso es peligroso, muy peligroso para un fotógrafo. Pero ¿cómo puede decir esas cosas? Parece tonto. ¿Qué le va a decir ahora a María? No sabe cómo empezar.

–Señor, la señorita María no está en la habitación. Creo que está de viaje. Esta noche llega a Santiago de Compostela.

«Es verdad. Mañana sale en tren desde allí –piensa Guillermo– pero no sé en qué hotel va a estar.»

–¿Sabe usted cómo se llama su hotel en Santiago? -pregunta Guillermo.

–No señor, lo siento, no lo sé.

–Bueno, gracias. Muchas gracias. Buenas tardes.

IV

GUILLERMO está todavía sentado delante del teléfono. No sabe qué hacer. Está allí, solo, con los ojos perdidos en un mar de preguntas. Los espejos de la pared lo miran en silencio. Tiene sed. Mucha sed. Nervioso, se pone de pie y va hacia el bar. Dentro sólo hay whisky barato. Esta noche quiere tomar algo diferente. En la habitación, debajo de la cama, tiene un brandy muy bueno. Se prepara una copa. Ahora busca sus cigarrillos y no los encuentra. Se siente mal. No puede seguir así... ¿Qué hacer? ¿Llamar a la policía y decir:

«Oiga, hay un hombre muy peligroso. Pero no sé dónde está. Sólo puedo verlo con mi cámara de fotos. Se llama Guillermo y... soy yo?»

¡Nadie va a creer eso! ¿Y qué van a decir sus amigos?, ¿y la gente del barrio? Pero, ¿quién es él? Guillermo empieza a no saberlo.

Por fin encuentra su paquete de cigarrillos debajo de la silla. Fuma y mira otra vez hacia la ventana. Allí está su vieja cámara. Guillermo le pide perdón con los ojos. Una cámara, a veces, es como una mujer. No podemos olvidarla. Pero... ¿qué le ocurre? Sólo es una cámara rota.

Sí. Eso es. Su cámara está rota. Antes de abrirla, Guillermo pasa la película hacia adelante. Luego, empieza a mirar por dentro. Él conoce esa cámara mejor que nadie. Todo parece estar bien. No encuentra nada raro. Es mejor dejarla. Guillermo está demasiado cansado. Cierra la cámara otra vez. Se va al cuarto de baño y se lava los ojos con agua fría. Y vuelve la pregunta: «¿Quién es él?»

Con un oscuro miedo Guillermo levanta la cabeza para mirarse en el espejo. Pero ¿qué ocurre ahora? No puede ver bien su cara[11]. Todo esto es demasiado raro. Se sienta delante del espejo, como un tonto. Sí, es él, Guillermo... pero sus ojos parecen mirar desde muy lejos. Parecen sombras perdidas. Es el brandy. Sí, seguro.

Guillermo no va a poder dormir. Lo sabe. ¿Y revelar[12] las fotos? Eso es. Va a revelar la película. En ella está la respuesta a todas sus preguntas.

Guillermo lleva la cámara a la habitación oscura. Allí dentro hace frío. Abre la cámara con cuidado y coge la película. La luz roja de la habitación no le deja ver bien. Tiene las manos muy calientes. Demasiado brandy. Sus ojos están muy cansados. Ya está. Todo preparado. Ahora sólo hay que esperar. Guillermo mira el reloj. Las diez y media. No es demasiado tarde para poner música.

«Charlie, viejo amigo, esta noche estoy más solo que nunca. Estoy perdido en un bosque de sombras y espejos. No sé dónde estoy, no sé qué me ocurre.»

Con la música, Guillermo olvida, por un momento, todas sus preguntas. Cierra los ojos. Los minutos no pasan. Parecen dormidos dentro del reloj. Y María está lejos. ¿Otra copa? No, Guillermo no quiere beber más. Quiere ver las cosas claras.

«Charlie Parker, amigo, ¿tú también eres una sombra como yo?»

Guillermo mira el reloj. Es la hora. Vuelve a la habitación oscura. Allí están sus fotos. Número uno: *La mujer de los pájaros.* Una foto bonita. La número dos también le gusta: *Mujer con su leopardo.* Guillermo sonríe. Número tres: no, ésta no es. Número cuatro: esta foto debe llamarse *Prohibido pasar.* Ahora mira las fotos muy rápido. Quiere llegar a las últimas. Por fin. Foto número doce: sólo una calle gris. Sin árboles, sin gente. Sin nadie. Así es. En aquella foto no está el hombre de la chaqueta marrón. Nada. Esta foto debe llamarse *La sombra de un fotógrafo.*

V

El sol abre poco a poco las sombras de la noche. Hoy va a hacer menos frío que ayer. Ya hay gente en la calle. Muchas mujeres van a comprar: mañana es domingo y los domingos todas las tiendas están cerradas.

Guillermo prepara el desayuno en la cocina. Un buen café para empezar el día. La casa está caliente y la luz entra ya por todas las ventanas. Guillermo quiere olvidar el oscuro día de ayer. Es imposible. Pero hoy está un poco más tranquilo. Esta tarde, por fin, llega María y va a poder contárselo todo.

Después de tomar el desayuno quiere salir, dejar esas cuatro paredes y pasear un poco por el barrio. Tiene que comprar algo para comer. Y quiere estar en la calle, ver gente, hablar con alguien... Pero hoy va a salir sin su cámara. Va a dejarla en casa. Siempre la lleva con él a todas partes. Sí, esa cámara es como su mano derecha, pero desde ayer no está seguro de ella.

Guillermo entra en el cuarto de baño para lavarse un poco. Pero esta vez no quiere mirarse al espejo. Es difícil olvidar los espejos. Están por toda la casa. A María le gustan mucho.

El sol abre poco a poco las sombras de la noche. Hoy va a hacer menos frío que ayer. Ya hay gente en la calle.

Vuelve a la habitación. No sabe qué ropa ponerse. Ve encima de la cama su chaqueta marrón y sus pantalones verde oscuro. Ahora no le gustan. Es la ropa del otro. Del otro Guillermo... No los va a usar nunca más. Mañana va a dárselos al portero. No quiere verlos más.

Guillermo cierra la puerta y baja las escaleras.

VI

En el portal, sentado al sol, está el portero.

–Buenos días, don Manuel. ¡Qué buen día hace!, ¿verdad?

El portero lo mira en silencio y no contesta. Parece no conocerlo.

–Sí, señor. Un día muy bueno –le dice por fin.

«"¿Señor?", pero ¿por qué me llama "señor" y no "Guillermo", como siempre? Debe estar enfadado por algo... No lo entiendo.»

Guillermo prefiere olvidarlo y no dice nada más. En la calle el aire es frío y la mañana clara. Hoy no va a llover, seguro. Guillermo sube la calle hasta llegar a la Plaza de San Ildefonso. Es una plaza pequeña pero muy bonita. Desde allí puede ver todavía la ventana de su casa. Y allí arriba está su cámara. Anda un poco más. Quiere comprar el periódico. Pero Francisco, el hombre de los periódicos, también está muy raro con Guillermo. Parece no saber quién es.

«¿Por qué?»

Francisco es un viejo amigo. El fotógrafo le compra los periódicos todos los días y siempre hablan un poco.

«¿Qué le ocurre hoy a todo el mundo?»

Guillermo coge el periódico y le deja el dinero a Francisco sin decir nada.

Ahora entra en la tienda de la esquina para comprar la comida. Dentro de la tienda hay dos mujeres del barrio, doña Elvira y doña Carmen. Las dos son hermanas y viven, como Guillermo, en el número ocho de la calle Corredera Baja. Lo conocen muy bien.

–Buenos días, señoras –dice Guillermo.

Pero las mujeres no dicen nada.

Guillermo busca a doña Manolita, la señora de la tienda.

–Buenos días, doña Manolita. Quiero un pollo, un kilo de patatas y un buen vino.

Doña Manolita sigue con su trabajo. Lava los cristales[13] de la tienda, delante de él, pero no contesta.

–Doña Manolita, soy yo, Guillermo. ¿Qué le pasa? ¿No me oye?

La mujer no dice nada. Parece no oír a Guillermo.

«No puedo creerlo. Nadie parece verme hoy. No entiendo nada.»

Guillermo se siente cada vez más raro. Una persona diferente en un barrio diferente.

Guillermo está nervioso. Sale de la tienda sin comprar nada y vuelve a la plaza de antes. Allí juegan los niños del barrio y los viejos, a esta hora de la mañana, vienen a sentarse al sol. Guillermo se sienta cerca de ellos y empieza a leer el periódico. Son las doce de la mañana. El aire del invierno se pasea por los árboles de la plaza. Tres chicos fuman, sentados en el suelo. Tienen trece años, más o menos. Uno de ellos lleva el pelo largo y una camisa bastante rota. Parecen amigos. Son del barrio.

«Seguro que sus padres no los dejan fumar. Son demasiado jóvenes.»

Guillermo los mira. Ellos se ríen. Parecen un poco nerviosos.

«¡Por fin unas personas simpáticas!»

Pero ya es tarde. Guillermo debe volver a casa. Todavía tiene trabajo y quiere preparar un poco las cosas de la casa. María vuelve esta noche. Después de comer va a hacer las últimas fotos.

En el portal, Guillermo se encuentra otra vez al portero y le pregunta si hay cartas para él. Pero don Manuel no dice nada.

«Don Manuel es ya un hombre muy mayor. Tiene más de setenta años. Casi no oye y no ve demasiado bien. Puede ser eso.»

VII

GUILLERMO sube las escaleras en silencio.

«Este sábado no empieza demasiado bien para mí.»

Busca sus llaves pero no las encuentra.

«Debo tener más cuidado con mis cosas. Estos días lo pierdo todo: los números de teléfono, los cigarrillos, las llaves...»

Busca con más cuidado en su chaqueta. Por fin las encuentra y abre. Son casi las dos, la hora de comer. Pero, ¿qué va a comer? No ha podido comprar nada. ¿Qué le va a decir a María? El silencio de la casa ahora le pone nervioso. Pone la televisión. No hay nada interesante. Mira el periódico. A las tres dan una buena película: *Mogambo,* con Ava Gardner. A Guillermo le gusta mucho Ava Gardner.

«Es como una mujer-leopardo. ¡Qué ojos! No hay otros tan bonitos en todo el cine americano.»

Pero hoy prefiere la música. Va a poner un poco de jazz. Esta vez es una mujer: Billie Holliday. Se sienta y coge un cigarrillo. La verdad es que no tiene hambre. ¿Trabajar? No, está demasiado nervioso. No puede olvidar. Allí, cerca de la ventana, está su cámara.

«¡Cuántos viajes, cuántas ciudades, cuántos años con mi cámara, los dos solos! ¡Parece imposible!»

Guillermo se duerme poco a poco. Oye la música cada vez más lejos. Los espejos de la casa lo miran en silencio. Su cámara también. Por fin la casa vuelve a estar tranquila.

Guillermo abre los ojos. Mira el reloj.

«¡No puede ser, son ya las cinco!»

Sí, ya son las cinco de la tarde. Esta noche llega María. Y Guillermo tiene todavía trabajo. Es muy importante para él. No puede dejarlo ahora. Guillermo va al cuarto de baño. Está todavía medio dormido. Se lava un poco, sin mirarse en el espejo y sale, como una sombra. Después coge un cigarrillo y pone música otra vez. Abre la ventana y empieza a preparar la cámara.

VIII

CON el sol de la tarde, la pared de enfrente parece un espejo. Hay demasiada luz para hacer fotos. Guillermo va a la habitación y busca un cristal oscuro para su cámara.

«Ahora sí puedo trabajar.»

Esta tarde hay mucha gente en la calle. La Navidad está cerca. Ruido de autobuses, coches, juegos de niños. (Clic) Unas mujeres pasean con sus maridos. (Foto) Llevan sus mejores vestidos. Sonríen. (Clic) Una de ellas oye el clic de la cámara y mira hacia arriba. (Foto) Es rubia y tiene los ojos claros. La mujer dice algo a su marido. Guillermo no lo puede oír. (Clic) El marido mira a la señora y se ríe. (Foto)

La cámara mira ahora hacia otro lugar. La esquina. (Clic) Un coche rojo. Un hombre sentado encima de un coche. (Clic) Zapatos negros. La cámara sube poco a poco. Pantalón azul. ¡No puede ser! El hombre lleva chaqueta gris y camisa blanca. (Clic) La cámara sube más. Está un poco lejos pero... sí, es él. ¡Él otra vez! ¡El otro Guillermo! Hoy también lleva su misma ropa. Está sentado allí, en la calle, y fuma un cigarrillo. Ahora mira hacia la ventana.

«Pero, ¿él también puede verme? ¿Quién es la sombra, yo o él?»

Guillermo mira ahora sin la cámara. No hay nadie en la esquina. Sólo un viejo coche rojo parado en la calle. Guillermo vuelve los ojos a la cámara. El otro sigue allí. Lo mira, pero parece no verlo. Guillermo espera unos minutos con su cámara. En ese momento, el otro Guillermo se pone de pie y empieza a andar. La cámara lo sigue.

«¡Allí está, allí abajo, y me espera! Debo bajar a la calle, hablar con él, saber quién es, qué quiere de mí!»

Guillermo está cada vez más nervioso.

«¡Rápido! No hay tiempo.»

Pero Guillermo olvida que sólo puede ver al otro con su cámara. La deja en el suelo y corre hacia la calle, sin cerrar la puerta.

Allí, entre sus libros, están las fotos de los viajes. Debe encontrar las fotos de África. Aquí están: África, 1986-90. Sí, éstas son.

IX

SON más de las nueve. La puerta de la calle está abierta y por ella entra todo el frío de la noche. El ruido de los coches sube hasta las habitaciones. Billie Holliday canta un viejo blues. Un ruido en la escalera: alguien sube muy despacio. Es Guillermo. Parece muy cansado. Vuelve solo. Se siente perdido. Sabe que es imposible encontrar al otro. Por fin llega hasta la puerta. Va a su habitación. Allí, entre sus libros, están las fotos de los viajes. Busca. Busca con mucho cuidado en cada paquete: París, 1985; Australia, 1986; México, 1988... Debe encontrar las fotos de África.

«Aquí están: África, 1986-90. Sí, éstas son.»

Abre el paquete muy despacio. Tiene miedo. Allí dentro está la última respuesta.

«Ahora lo entiendo todo y ya es demasiado tarde. Demasiado tarde... Aquellos hombres... Su espíritu... –Guillermo casi no puede hablar–. Ahora yo también estoy en peligro.»

Allí están esos hombres delgados, con sus ojos negros y nerviosos. Lo miran desde las fotos y Guillermo cree oírlos, como en África:

«Debes tener cuidado. Es peligroso robar el espíritu de un hombre.»

Guillermo deja las fotos otra vez dentro de sus paquetes y los cierra bien.

Mira sus manos. Casi no puede verlas.

«Rápido. Debo escribir una carta a María. Mi cámara puede más que yo. Primero me ha robado mi cara, y ahora mis manos. Ya sé que voy a perderlo todo. Ahora lo entiendo: estoy pagando muy caro por ser fotógrafo.»

Guillermo empieza a escribir pero pronto se para. No puede seguir.

«¡Dios mío! Soy un hombre sin cuerpo[14] y sin espíritu. Una sombra, una sombra perdida.»

X

María entra en el piso y deja los paquetes sobre la mesa.

–¡Hola Guillermo, ya estoy aquí! Pero, ¿por qué tienes la puerta de la calle abierta? Entra frío... ¿Guillermo? ¿Dónde estás? ¿No me oyes?

Mira y ve la ventana abierta y la cámara en el suelo. Al lado de la silla, también en el suelo, hay una chaqueta, un pantalón azul, una camisa blanca y unos zapatos negros. Billie Holliday canta todavía su largo blues. María no entiende nada. Busca a Guillermo por todas las habitaciones de la casa. Va hasta la cocina y busca algo para comer. No hay nada.

«Debe estar en la tienda –piensa María–. Yo conozco bien a Guillermo. Siempre lo hace todo en el último momento. Pero... es imposible. A estas horas todas las tiendas están cerradas...»

María no entiende nada.

«Todo esto es muy raro. ¿Qué ocurre aquí? ¿Dónde puede estar Guillermo?»

Por fin, ve algo encima de la mesa. Parece una carta. María se sienta y lee:

«María: Ya es demasiado tarde. Tengo poco tiempo. Voy a irme lejos. Para siempre. Pero antes quiero decirte...»

La carta de Guillermo no está terminada. María, nerviosa, no sabe qué hacer. ¿Llamar a la policía?

«No, eso no. A veces Guillermo se va de viaje sin decir nada a nadie. Pero esta carta... no sé... ¿por qué no está terminada? Sí, lo mejor es llamar a la policía.»

XI

SON casi las siete de la tarde. Una tarde clara del mes de agosto. Hace mucho calor. El verano en Madrid es demasiado largo. Casi toda la gente del barrio está de vacaciones. La calle está en silencio.

Sólo María espera de pie en el portal de su casa. Parece muy cansada. Mira el reloj. Es pronto. Todavía tiene unos minutos.

A las siete viene un taxi para llevarla a su casa de campo, en Cercedilla. Lejos del calor de Madrid, lejos también de ese largo invierno pasado en esta casa sin Guillermo.

Para María parece que han pasado años. Guillermo no va a volver nunca más. Ella lo sabe. La policía no lo ha podido encontrar y no quiere buscar más. Nadie busca a Guillermo. Parece imposible pero es así.

María tiene todavía muchas preguntas sin respuesta pero no puede, no quiere esperar más. Siete meses sin saber nada de Guillermo son demasiado tiempo. Ahora quiere empezar una nueva vida[15], lejos de esa casa. El campo es un buen sitio para olvidar.

María mira por última vez las ventanas de la casa. Todas están cerradas. Todas menos una.

María mira por última vez las ventanas de la casa. Todas están cerradas. Todas menos una. Allí arriba, María ve la cámara de Guillermo. Como siempre, está mirando hacia la calle. María quiere dejarla allí. En ese momento, llega un coche. Para delante del portal. Es el taxi. María coge sus paquetes y sube al coche. El taxi se pierde entre las calles. Deja detrás de él el calor y el silencio de una ciudad muerta, muerta para María.

XII

DESDE la casa, el espíritu de Guillermo piensa...

«Adiós, María. Siento mucho no poder ir contigo. Yo sigo aquí, como siempre, detrás de mi ventana. Sí, sigo aquí, en nuestra casa, como antes, como siempre. Pero ahora tú no puedes verme. Nadie puede verme desde aquel día... Estoy dentro de mi cámara y no puedo salir. He pagado muy caro por entrar en otras vidas con el ojo de mi cámara, por robar el espíritu de los hombres. Debes saberlo, María. Aquellos hombres del Sáhara conocen toda la verdad sobre las sombras. Ahora soy sólo eso, una sombra, la sombra de un fotógrafo. Y sólo puedo vivir en el silencio oscuro de mi cámara.»

SOBRE LA LECTURA

Para comprobar la comprensión

I

1. *Guillermo trabaja en...*

   ☐ *su oficina.*
   ☐ *su casa.*
   ☐ *la calle.*

2. *En casa de Guillermo...*

   ☐ *cada cosa está en su sitio.*
   ☐ *no hay libros.*
   ☐ *hay fotos por todos los sitios.*

II

3. *Los hombres de África tienen miedo de las fotos de Guillermo porque las fotos...*

   ☐ *son para la policía.*
   ☐ *son de animales peligrosos.*
   ☐ *roban su espíritu.*

4. *María está...*

   ☐ *en Santiago de Compostela.*
   ☐ *en Lugo.*
   ☐ *en Madrid.*

5. *Después de hablar con María, Guillermo ve algo raro en su cámara. Ve a...*
   - ☐ *otro Guillermo.*
   - ☐ *una mujer con chaqueta de leopardo.*
   - ☐ *un policía.*

III

6. *Guillermo vuelve a llamar a María porque...*
   - ☐ *ha olvidado decirle algo.*
   - ☐ *está muy nervioso y quiere contárselo todo.*
   - ☐ *quiere pedirle el número de teléfono de un amigo.*

IV

7. *Para sentirse más tranquilo, Guillermo...*
   - ☐ *hace más fotos.*
   - ☐ *revela sus fotos.*
   - ☐ *bebe toda la botella de brandy.*

8. *Cuando Guillermo abre su cámara, ve que...*
   - ☐ *no hay película.*
   - ☐ *está rota.*
   - ☐ *todo está bien.*

9. *Cuando se mira al espejo, Guillermo ve que...*
   - ☐ *no se puede ver bien.*
   - ☐ *está más viejo.*
   - ☐ *el espejo está roto.*

10. *Al revelar las fotos, Guillermo ve que...*

☐ *no está la mujer de los pájaros.*
☐ *todas las fotos están mal.*
☐ *no está el hombre de la chaqueta marrón.*

V

11. *Guillermo no quiere mirarse en el espejo del cuarto de baño porque...*

☐ *hay otros espejos en la casa.*
☐ *no tiene tiempo.*
☐ *tiene miedo.*

VI

12. *Hoy, cuando Guillermo habla con Francisco...*

☐ *parece no reconocerlo.*
☐ *no le contesta.*
☐ *le pregunta por su trabajo.*

13. *Cuando Guillermo saluda a las dos señoras del barrio y a doña Manolita, las señoras...*

☐ *hablan del tiempo.*
☐ *no le contestan.*
☐ *le dicen cómo debe preparar el pollo.*

14. *Al volver a su casa, ve al portero otra vez. Éste...*

    ☐ *le da una carta.*
    ☐ *le llama «señor».*
    ☐ *parece no verlo.*

VII

15. *Además de la fotografía, a Guillermo le gustan...*

    ☐ *el cine y la música.*
    ☐ *los espejos.*
    ☐ *las buenas comidas.*

VIII

16. *Guillermo hace fotos otra vez. Esta tarde...*

    ☐ *no pasa nada raro.*
    ☐ *no ve nada interesante.*
    ☐ *ve al otro Guillermo.*

17. *Guillermo baja a la calle porque...*

    ☐ *quiere saber quién es ese hombre.*
    ☐ *tiene calor.*
    ☐ *no quiere estar solo.*

IX

18. *Guillermo busca las fotos de África porque...*

    ☐ *quiere recordar buenos momentos.*
    ☐ *en ellas está la respuesta a sus preguntas.*
    ☐ *el hombre de la calle es de África.*

19. Guillermo entiende ahora que...

- ☐ *María no va a volver.*
- ☐ *no está en peligro.*
- ☐ *ya sólo va a ser una sombra.*

20. Guillermo quiere...

- ☐ *irse de su casa.*
- ☐ *escribir una carta a toda su familia.*
- ☐ *escribir a María para decirle qué ocurre.*

X

21. Cuando por fin llega a casa de Guillermo, María encuentra...

- ☐ *las fotos de África.*
- ☐ *todos los espejos rotos.*
- ☐ *la carta de Guillermo.*

22. María quiere llamar a la policía porque...

- ☐ *Guillermo se va de viaje sin avisar.*
- ☐ *no sabe qué ha ocurrido y tiene miedo.*
- ☐ *Guillermo ha matado a alguien.*

XI

23. María no ve a Guillermo desde hace...

- ☐ *siete meses.*
- ☐ *tres años.*
- ☐ *una semana.*

24. *María quiere irse al campo porque...*

☐ *quiere empezar una nueva vida.*
☐ *la policía cree que es mejor.*
☐ *está de vacaciones.*

XII

25. *Guillermo está...*

☐ *en África.*
☐ *dentro de su cámara.*
☐ *en la calle.*

26. *Esto le ha pasado a Guillermo porque...*

☐ *ha querido empezar una nueva vida.*
☐ *ha «robado» la vida de otras personas con su cámara y ahora la cámara le quita su vida a él.*
☐ *no quiere ver al otro Guillermo.*

Para hablar en clase

1. *¿Le gusta a usted hacer fotos? ¿Le parece bonita la profesión de fotógrafo?*
2. *¿Le gusta que alguien le haga fotos o no? ¿Por qué?*
3. *Los hombres del Sáhara tienen miedo de las fotos. En la sociedad moderna mucha gente también tiene miedo de las fotos: piensa que les roba su vida privada. ¿Qué opina usted? ¿Cree que un fotógrafo puede hacer todas las fotos que quiera, sin pensar en la vida privada de la gente?*
4. *¿Piensa usted que la fotografía es un arte y se puede comparar con la pintura?*
5. *¿Le gustan los cuentos del tipo de* La sombra de un fotógrafo*? ¿Ha leído –o visto en el cine– otra historia del mismo estilo?*

NOTAS

Estas notas proponen equivalencias o explicaciones que no pretenden agotar el significado de las palabras o expresiones siguientes sino aclararlas en el contexto de *La sombra de un fotógrafo.*

m.: masculino, *f.:* femenino, *inf.:* infinitivo.

espejo

cámara de fotos

1 **silencio** *m.:* ausencia de ruido.

2 **espejos** *m.:* cristales no transparentes en los que se refleja la imágen de las personas o cosas.

3 **cámara** (**de fotos**) *f.:* aparato que sirve para hacer fotografías.

4 **barrio** *m.:* cada una de las partes en que se divide una ciudad.

5 **leopardo** *m.:* animal salvaje parecido al gato, pero mucho más grande, amarillo y con manchas negras.

6 **oscuros:** que no tienen luz (ver nota 7) o tienen muy poca, lo contrario de claros.

7 **luz** *f.:* claridad, lo que permite que las cosas se vean.

8 **dan miedo** (*inf.:* **dar miedo**): provocan sensación de alarma, de inquietud, de desconfianza.

9 **espíritu** *m.:* parte no física, inmaterial, de las personas.

10 **robar:** quitar a una persona algo que es suyo.

11 **cara** *f.:* parte anterior de la cabeza de las personas.

12 **revelar:** tratar una película fotográfica con sustancias químicas para poder ver las imágenes.

13 **cristales** *m.:* aquí, vidrios transparentes de las ventanas; más adelante, vidrio de color para la cámara fotográfica.

14 **cuerpo** *m.:* parte física, parte material de las personas.

15 **vida** *f.:* periodo de tiempo de un ser vivo, desde que nace hasta que muere. Aquí, forma de vivir de una persona.

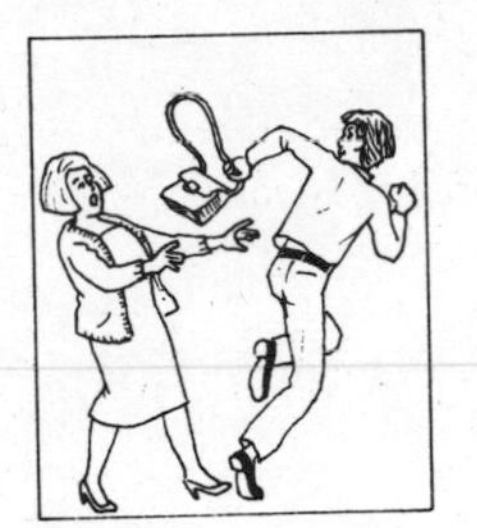

robar

VOCABULARY

The following is a glossary of the footnoted words and phrases found in *La sombra de un fotógrafo.* Translations are limited to the meaning within the particular context of the story.

m.: masculine, f.: feminine, inf.: infinitive.

La sombra de un fotógrafo: *A Photographer's Shadow*

1 **silencio** m.: *silence.*

2 **espejos** m.: *mirrors.*

3 **cámara** (**de fotos**) f.: *camera.*

4 **barrio** m.: *neighbourhood.*

5 **leopardo** m.: *leopard.*

6 **oscuros:** *dark.*

7 **luz** f.: *light*

8 **les dan miedo...** (inf.: **dar miedo**): *(the mirrors) frighten them.*

9 **espíritu** m.: *spirit, soul.*

10 **robar:** *to steal.*

11 **cara** f.: *face.*

12 **revelar:** *to develop (a film).*

13 **cristales** m.: *here, window panes; further on, dark lenses.*

14 **cuerpo** m.: *body.*

15 **vida** f.: *life.*

VOCABULAIRE

Ces notes proposent des traductions ou des équivalences qui n'épuisent pas le sens des mots ou expressions ci-dessous mais les expliquent dans le contexte de *La sombra de un fotógrafo.*

m.: masculin, f.: féminin, inf.: infinitif.

La sombra de un fotógrafo: *L'ombre d'un photographe*

1 **silencio** m.: *silence.*

2 **espejos** m.: *miroirs.*

3 **cámara** (**de fotos**) f.: *appareil photo.*

4 **barrio** m.: *quartier.*

5 **leopardo** m.: *léopard.*

6 **oscuros:** *sombres.*

7 **luz** f.: *lumière.*

8 **les dan miedo** (inf.: **dar miedo**): *(les miroirs) leur font peur.*

9 **espíritu** m.: *esprit.*

10 **robar:** *voler.*

11 **cara** f.: *visage.*

12 **revelar:** *développer.*

13 **cristales** m.: *ici, vitres; plus loin, verres teintés pour l'appareil photo.*

14 **cuerpo** m.: *corps.*

15 **vida** f.: *vie.*

WORTSCHATZ

Die nachfolgenden Übersetzungen beziehen sich ausschlieβlich auf die konkrete Bedeutung des entsprechenden spanischen Ausdrucks und dessen Anwendung im Text *La sombra de un fotógrafo.*

m.: Maskulin, f.: Femenin, inf.: Infinitiv.

La sombra de un fotógrafo: *Der Schatten eines Fotografen*

1 **silencio** m.: *Ruhe, Stille.*

2 **espejos** m.: *Spiegel.*

3 **cámara** f.: *Kamera.*

4 **barrio** m.: *Stadtviertel.*

5 **leopardo** m.: *Leopard.*

6 **oscuros:** *dunkel.*

7 **luz** f.: *Licht.*

8 **les dan miedo** (inf.: **dar miedo**): *sie machen ihnen Angst.*

9 **espíritu** m.: *Seele.*

10 **robar:** *stehlen.*

11 **cara** f.: *Gesicht.*

12 **revelar:** *entwickeln.*

13 **cristales** m.: *Fensterscheiben.*

14 **cuerpo** m.: *Körper.*

15 **vida** f.: *Leben.*